DIE EULE UND DER KLEINE ZIEGENHIRTE

Die Eule und der kleine Ziegenhirte

Geschichte von *Tuula Pere*
Illustrationen von *Catty Flores*
Layout von *Peter Stone*
Deutsch übersetzung durch *Stephanie Kersten*

ISBN 978-952-357-546-2 (Hardcover)
ISBN 978-952-357-547-9 (Softcover)
ISBN 978-952-357-548-6 (ePub)
Erste Auflage

Copyright © 2021 Wickwick Ltd

Herausgegeben 2021 durch Wickwick Ltd
Helsinki, Finnland

The Owl and the Shepherd Boy, German Translation

Story by *Tuula Pere*
Illustrations by *Catty Flores*
Layout by *Peter Stone*
German translation by *Stephanie Kersten*

ISBN 978-952-357-546-2 (Hardcover)
ISBN 978-952-357-547-9 (Softcover)
ISBN 978-952-357-548-6 (ePub)
First edition

Copyright © 2021 Wickwick Ltd

Published 2021 by Wickwick Ltd
Helsinki, Finland

Originally published in Finland by Wickwick Ltd in 2016
Finnish "Pöllö ja paimenpoika", ISBN 978-952-325-274-5 (Hardcover), ISBN 978-952-325-774-0 (ePub)
English "The Owl and the Shepherd Boy", ISBN 978-952-325-275-2 (Hardcover), ISBN 978-952-325-775-7 (ePub)

Wickwick books are available at special discounts when purchased in quantity for premiums and promotions as well as fundraising or educational use. Special editions can also be created to specification. For details, contact specialsales@wickwick.fi.

Die Eule und der kleine Ziegenhirte

TUULA PERE · CATTY FLORES

WickWick
Children's Books from the Heart

Der kleine Hirte Nicky und sein Vater waren gerade auf eine Bergwiese geklettert. Nicky sollte alleine bei der Ziegenherde bleiben, um auf sie aufzupassen. Sein Vater öffnete die Tür zu einer kleinen Hirtenhütte und brachte einige Wolldecken sowie etwas Essen hinein.

„Diese Vorräte sollten dir bis nächste Woche reichen. Ich werde dann zu dir zurückkommen. Bitte vergiss nicht, die Ziegen jeden Abend in den Pferch einzusperren und die Hüttentür zu verschließen, damit du hier sicher bist", riet ihm sein Vater.

„Ich habe doch aber vor der Dunkelheit Angst", sagte der kleine Junge. „Ihr habt mich doch noch nie so lange alleine gelassen."

„Nimm diese Weidenholzflöte. Spiele am Abend auf ihr, bis du einschläfst", munterte ihn sein Vater auf. „Es wird alles gut gehen."

Nicky zweifelte daran, dass das Spielen auf der Flöte seine Ängste vertreiben würde. Er fühlte sich gar nicht gut, als ihm sein Vater beim Weggehen zuwinkte.

An jenem Abend brachte Nicky die Herde zu einem Gebirgsbach, um die Tiere trinken zu lassen. Dann scheuchte er die Ziegen in den Pferch direkt neben der Hütte. Als es immer dunkler wurde, warf er etwas Reisig in das Feuer, das draußen brannte, und spielte dabei auf seiner Weidenholzflöte.

„Was für ein düsterer Ort, an dem ich bin", dachte er sich dabei. „Ich wäre viel lieber unten bei meiner Familie im Dorf."

Er wurde traurig, als er an seine Mutter, seine Schwestern und sein warmes Bett zu Hause dachte. Eine Träne kullerte aus seinem Auge. Er entschied sich, noch ein weiteres Lied zu spielen und dann zum Schlafen in seine Hütte zu gehen.

Als Nicky gerade sein letztes Lied zu Ende gespielt hatte, hörte er draußen ein Buhen; als wenn jemand auf sein Flötenspiel antwortet. Der Junge lauschte stockstill.

Schwisch! Ein sausendes Geräusch durchdrang die Dunkelheit. Ein großer Vogel flog über seinem Kopf hinweg und ließ sich auf einer Baumspitze nieder. Ein Paar gelber Augen blitzten im Schein des Feuers.

„Das muss eine Eule sein. Na, wenigstens frisst sie nur Mäuse und keine Menschen", versuchte sich Nicky selbst zu beruhigen. „Aber das Geräusch, das sie beim Fliegen macht, ist wirklich verängstigend."

Nicky löschte das Feuer und beeilte sich, in die Hütte zu gehen. Sogar unter seiner Decke konnte er noch das Buhen der Eule hören.

Am nächsten Nachmittag zogen plötzlich schwarze Wolken auf und bedeckten den ganzen Himmel. Die Ziegen wurden nervös und kamen von ihrer Bergweide zurück, um näher an der Hütte zu sein. Nachdem Nicky sie eingepfercht hatte, ging er in die Hütte hinein und wickelte sich in eine Decke ein. Der Wind heulte auf und rüttelte an der Hüttentür.

Nicky fürchtete sich. Sein Vater hatte ihm gesagt, dass Musik ihn ablenken würde. „Aber die Weidenflöte zu spielen, wird mir jetzt nicht helfen", dachte sich Nicky, während er sich in einer Ecke des Bettes zusammenrollte.

Der Sturm wurde immer wilder. Nicky hatte noch nie solch starke Kräfte der Natur erlebt. Der Sturm riß die Hüttentür auf und Regen drang hinein. Das Dach knarrte an den Stützbalken, und, eins nach dem anderen, flogen die Deckenbalken davon. Holzstücke und Gerümpel wirbelten durch die Luft.

Nicky schützte seinen Kopf mit einem kleinen Blecheimer, den er wie einen Helm aufsetzte, und wickelte sich noch strammer in seine Decke. Er hatte keine andere Wahl, als das Abflauen des Sturmes abzuwarten.

Mutter Natur wartete bis zum nächsten Morgen, um sich zu beruhigen. Nicky stellte den Eimer weg und schaute sich um. Die Ziegen waren aus ihrem Pferch ausgebrochen und waren unauffindbar.

„Vater wird so böse sein!", dachte sich Nicky entsetzt. „Ich habe es geschafft, eine ganze Herde Ziegen zu verlieren!"

Der kleine Hirtenjunge musste sich aber noch um ganz andere Sachen sorgen. Der Sturm hatte die komplette Hütte niedergerissen und alle Kleider, sein Essen und der Zunder für das Feuer waren weggeweht worden. Das Einzige, das noch übriggeblieben war, war seine jetzt ganz verschlissene Wolldecke. Nickys Vater sollte in einer Woche wieder zurückkommen. Er würde es aber niemals mit dem, was ihm geblieben war, eine Woche aushalten. Er würde Hunger leiden und die kalten Nächte konnten ohne Schutz gefährlich sein. Er musste einen Weg hinunter ins Tal finden, wo sein Heimatdorf war.

Nicky kannte den Weg hinunter zum Tal nicht, aber er dachte, dass das Beste wäre, dem Bach zu folgen. Er wusste, dass er hinunter ins Tal führte, wo er mit einem größeren Fluss zusammenströmte. Aber das Laufen im felsigen Bachbett würde schwierig sein. Die Reise würde wenigstens ein paar Tage dauern.

„Ich sollte besser direkt losgehen", entschloss sich Nicky und nahm die zerschlissene Decke mit.

Der kleine Hirte folgte dem Bach. An einigen Stellen waren die Abhänge so steil, dass er mit seinen Füßen ausrutschte. Ab und zu musste er dichtes, dorniges Gebüsch umgehen. Als der Abend hereinbrach, hatte er keine andere Wahl, als anzuhalten.

„Es ist so kalt. Aber wenigstens ist diese Decke jetzt trocken", dachte sich Nicky und versuchte, seine Füße mit dem zerrissenen Stoff zu bedecken.

Nicky traute sich nicht, seine Augen zu schließen. Er drückte sich fest an eine Felsenwand, die noch ein bisschen Wärme vom Sonnenlicht gespeichert hatte.

„Huuh-huuh!", ein Buhen kam aus der Nähe.

„Eule, bist du das?", wunderte sich Nicky. „Bist du mir gefolgt?"

Aus der Dunkelheit der Nacht segelte ein großer Vogel hervor und landete neben ihm. Es war die selbe Eule, die in der vergangenen Nacht neben seinem Feuer gebuht hatte. Im Mondlicht sah Nicky, dass sie etwas in ihrem Schnabel trug.

„Das gibt's doch nicht!", schluchzte Nicky. „Du hast mir meine Weidenholzflöte gebracht!"

Nicky fing an, die fröhlichsten Melodien, die er kannte, zu spielen. Es half ihm, sich ein bisschen besser zu fühlen. Während er auf seiner Flöte trällerte, schaute er sich die schimmernden Augen der Eule genauestens an.

„Sie sieht sehr weise aus. Als ob sie meine Gedanken lesen kann", dachte sich Nicky.

„Das kann ich wirklich", antwortete die Eule. „Und du kannst meine lesen."

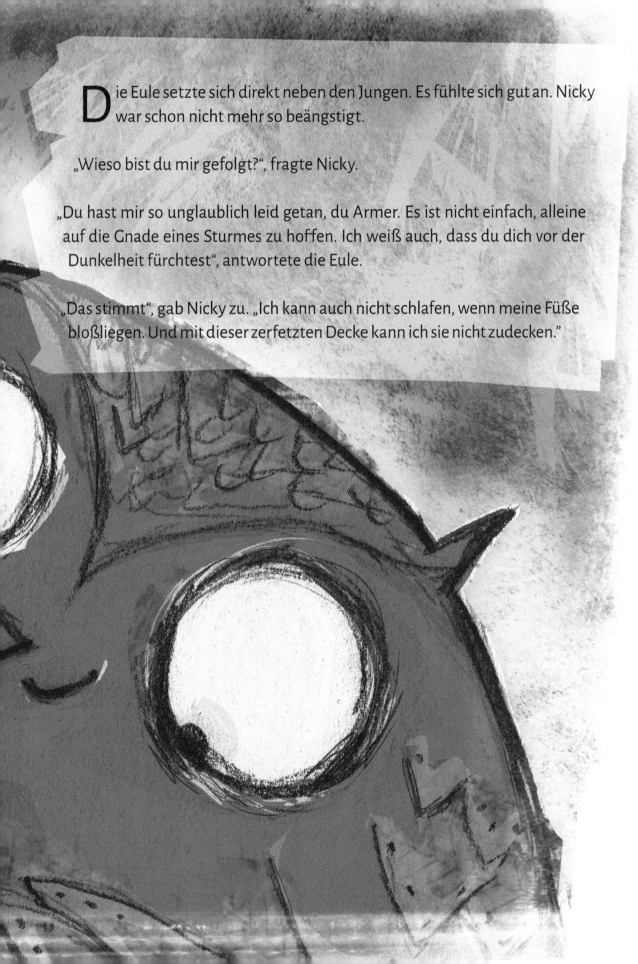

Die Eule setzte sich direkt neben den Jungen. Es fühlte sich gut an. Nicky war schon nicht mehr so beängstigt.

„Wieso bist du mir gefolgt?", fragte Nicky.

„Du hast mir so unglaublich leid getan, du Armer. Es ist nicht einfach, alleine auf die Gnade eines Sturmes zu hoffen. Ich weiß auch, dass du dich vor der Dunkelheit fürchtest", antwortete die Eule.

„Das stimmt", gab Nicky zu. „Ich kann auch nicht schlafen, wenn meine Füße bloßliegen. Und mit dieser zerfetzten Decke kann ich sie nicht zudecken."

Die Eule hob ihren Kopf an und stieß einen lauten, warmen Ruf in die dunkle Nacht aus. Nicky hörte plötzlich Flügel, die von allen Seiten die Luft um ihn herum zerschnitten. Bald schon war er von vielen Eulen umringt, die hin und zurück riefen.

„Genug mit dem Geplauder!", ordnete Nickys Eulenfreund an. „Wir haben nicht die ganze Nacht Zeit. Dem Jungen ist kalt und er muss jetzt schlafen!"

Zu Nickys großer Überraschung landeten die Eulen neben ihn und breiteten ihre Flügel schützend über seinen Füßen aus. Von den Vögeln gewärmt, schloss der kleine Hirtenjunge seine Augen und fiel bald in einen tiefen Schlaf.

D ie Morgensonne weckte Nicky auf. Von den Eulen fehlte jede Spur.

„Habe ich das alles etwa nur geträumt?", wunderte sich Nicky. „Ich mache mich besser auf den Weg ins Tal."

Der Hirtenjunge steckte die Weidenholzflöte in seine Tasche und nahm die Decke mit. Bald schon war er auf seiner Reise bergab. Er hatte zwar kein Essen dabei, aber dafür war genug frisches, kühles Wasser im Bergbach zu finden.

„Ich schaffe diesen Tag noch. Und ich sollte eigentlich am Abend schon in meinem Heimatdorf ankommen", nahm Nicky an. „Ich wünsche mir nur, dass ich die nette Eule noch einmal sehen könnte."

Als ob die Eule seinen Wunsch gehört hatte, tauchte sie plötzlich aus dem Nichts auf.

„Es sieht so aus, als ob du gut geschlafen hast", sagte der Vogel. „Und sorge dich nicht um deine Ziegen, sie grasen ein bisschen weiter oben auf den Bergweiden. Wenn du nur ein oder zwei Töne auf deiner Flöte anschlägst, können sie hören, dass du hier bist."

21

Dankbar für den Rat der freundlichen Eule setzte sich Nicky auf einen Felsen nieder und fing an, auf seiner Flöte zu spielen.

„Dieses Lied heißt ‚Das Lied des kleinen, hungrigen Hirten'", erklärte er dem Vogel mit einem Grinsen.

Eine sanfte Melodie zog den Berg hinauf, bis die Ziegen ihre Ohren spitzten. Bald schon zog die Herde – angeführt vom größten Ziegenbock - den Berghang hinunter, dem Klang der Weidenholzflöte folgend.

Der Junge sprang auf. „Es ist so schön, euch alle zu sehen!", weinte er und rannte auf die Ziegen zu. „Ich bin so glücklich, dass ihr den Sturm überstanden habt!"

Nicky umarmte das kleinste Zicklein und streichelte es liebevoll. Er hatte es nicht mehr weit bis nach Hause. Wenn er auf den nächsten Hügel steigen würde, könnte er schon sein Heimatdorf sehen.

23

Die Dorfbewohner schauten erstaunt, als Nicky mit seiner Ziegenherde näher kam. Sein Eulenfreund flatterte um ihn herum und landete auf seiner Schulter.

Nickys Eltern ließen die Feldarbeit liegen und liefen auf ihren Sohn zu, um ihn zu begrüßen. Seine jüngeren Schwestern sprangen um ihn herum. Jeder bestaunte die zahme Eule.

„Es war so ein schlimmer Sturm!", erzählte Nicky den Dorfbewohnern. „Er hat mir alles fortgenommen. Ich dachte, ich komme nicht mehr heil zu Hause an."

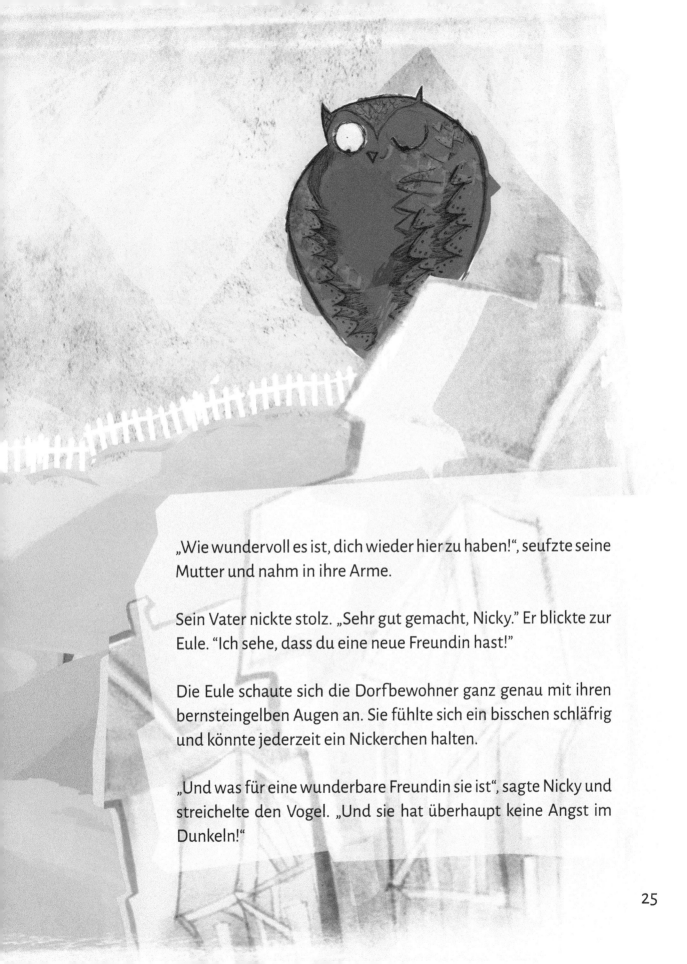

„Wie wundervoll es ist, dich wieder hier zu haben!", seufzte seine Mutter und nahm in ihre Arme.

Sein Vater nickte stolz. „Sehr gut gemacht, Nicky." Er blickte zur Eule. "Ich sehe, dass du eine neue Freundin hast!"

Die Eule schaute sich die Dorfbewohner ganz genau mit ihren bernsteingelben Augen an. Sie fühlte sich ein bisschen schläfrig und könnte jederzeit ein Nickerchen halten.

„Und was für eine wunderbare Freundin sie ist", sagte Nicky und streichelte den Vogel. „Und sie hat überhaupt keine Angst im Dunkeln!"

Lightning Source UK Ltd.
Milton Keynes UK
UKHW020157131222
413812UK00003B/125

9 789523 575462